Le livre de recettes à faible taux de cholestérol

Un livre de cuisine faible en gras avec plus de 50 recettes simples et rapides

Karen Gauthier

Tous les droits sont réservés.

Avertissement

RÉSUMÉ

INTRODUCTION

Un régime faible en gras réduit la quantité de graisse ingérée par les aliments, parfois de manière drastique. En fonction de la mise en œuvre extrême de ce régime ou de ce concept nutritionnel, seuls 30 grammes de matières grasses peuvent être consommés par jour.

Avec une alimentation complète conventionnelle selon l'interprétation de la Société allemande de nutrition, la valeur recommandée est plus du double (environ 66 grammes ou 30 à 35 pour cent de l'apport énergétique quotidien). En réduisant considérablement les graisses alimentaires, les kilos devraient chuter et / ou ne pas reposer sur les hanches.

Bien qu'il n'y ait pas d'aliments interdits en soi avec ce régime: avec la saucisse de foie, la crème et les frites, vous avez atteint votre limite quotidienne de graisse plus rapidement que vous ne diriez "loin d'être plein". Par conséquent, pour un régime à faible teneur en matières grasses, les aliments à faible teneur en matières grasses doivent se retrouver principalement ou exclusivement dans l'assiette, de préférence les «bonnes» graisses telles que les huiles de poisson et végétales.

QUELS SONT LES AVANTAGES D'UNE RÉGIME FAIBLE EN GRAS?

Les graisses fournissent des acides gras essentiels (essentiels). Le corps a également besoin de graisse pour pouvoir absorber certaines vitamines (A, D, E, K) des aliments. Éliminer complètement les graisses de l'alimentation ne serait donc pas une bonne idée.

En fait, en particulier dans les pays riches en industrie, on consomme beaucoup plus de graisses chaque jour que ce que recommandent les experts. Un problème avec cela est que la graisse est particulièrement riche en énergie: un gramme contient 9,3 calories et donc le double d'un gramme de glucides ou de protéines. Un apport plus élevé en graisses favorise donc l'obésité. De plus, on dit que trop d'acides gras saturés, comme ceux du beurre, du saindoux ou du chocolat, augmentent le risque de maladies cardiovasculaires et même de cancer. Manger des régimes faibles en gras pourrait éviter ces deux problèmes.

ALIMENTS FAIBLES EN GRAS: TABLEAU DES ALTERNATIVES MAIGRES

La plupart des gens doivent savoir qu'il n'est pas sain de faire le plein de graisse incontrôlée. Les sources évidentes de graisse telles que les bords de graisse sur la viande et les saucisses ou les lacs de beurre dans la casserole sont faciles à éviter.

Cela devient plus difficile avec les graisses cachées, comme celles que l'on trouve dans les bonbons ou les fromages. Avec ce dernier, la quantité de matière grasse est parfois appelée pourcentage absolu, parfois «% FiTr», c'est-à-dire la teneur en matière grasse de la matière sèche qui se forme lorsque l'eau est éliminée des aliments.

Pour un régime faible en gras, vous devez faire attention, car un fromage blanc à la crème avec 11,4% de matières grasses sonne moins gras qu'un avec 40% de fiTr. Les deux produits ont la même teneur en matières grasses. Des listes d'experts en nutrition (par exemple la DGE) permettent d'intégrer le plus facilement possible une alimentation faible en gras dans la vie de tous les jours et d'éviter les risques de trébuchement. Par exemple, voici un au lieu d'une table (aliments riches en matières grasses avec des alternatives faibles en matières grasses):

Les aliments riches en matières grasses

Alternatives faibles en gras

Beurre

Fromage à la crème, fromage blanc aux herbes, moutarde, crème sure, concentré de tomate

Frites, pommes de terre sautées, croquettes, crêpes de pommes de terre

Pommes de terre au four, pommes de terre au four ou pommes de terre au four

Poitrine de porc, saucisse, oie, canard

Veau, chevreuil, dinde, escalope de porc, -lende, poulet, magret de canard sans peau

Lyoner, mortadelle, salami, saucisse de foie, boudin noir, bacon

Jambon cuit / fumé sans bord gras, saucisses maigres telles que jambon de saumon, poitrine de dinde, viande rôtie, saucisse aspic

Alternatives sans gras à la saucisse ou au fromage ou à accompagner avec eux

Tomate, concombre, tranches de radis, laitue sur pain ou même tranches de banane / quartiers de pomme fins, fraises

Bâtonnet de poisson

Poisson cuit à la vapeur faible en gras

Thon, Saumon, Maquereau, Hareng

Morue à la vapeur, lieu noir, haddock

Lait, yogourt (3,5% de matière grasse)

Lait, yogourt (1,5% de matière grasse)

Crème de quark (11,4% de matière grasse = 40% de fiTr.)

Quark (5,1% de matière grasse = 20% FiTr.)

Fromage à la crème double (31,5% de matière grasse)

Fromage étagé (2,0% de matière grasse = 10% FiTr.)

Fromage gras (> 15% de matière grasse = 30% FiTr.)

Fromages allégés (max.15% de matière grasse = max.30% de fiTr.)

Crème fraîche (40% de matière grasse)

Crème sure (10% de matière grasse)

Mascarpone (47,5% de matière grasse)

Fromage à la crème granuleux (2,9% de matière grasse)

Gâteau aux fruits avec pâte brisée

Gâteau aux fruits avec levure ou pâte éponge

Gâteau éponge, gâteau à la crème, biscuits au chocolat, pâte brisée, chocolat, barres

Des desserts maigres comme du pain russe, des doigts de dame, des fruits secs, des oursons en gélatine, de la gomme aux fruits, des mini bisous au chocolat (attention: le sucre!)

Crème de nougat aux noix, tranches de chocolat

Fromage à la crème granuleux avec un peu de confiture

des croissants

Bretzels croissants, petits pains complets, viennoiseries au levain

Noix, chips

Bâtonnets de sel ou bretzels

Crème glacée

Glace aux fruits

Olives noires (35,8% de matière grasse)

olives vertes (13,3% de matière grasse)

RÉGIME FAIBLE EN GRAS: COMMENT ÉCONOMISER DES GRAISSES DANS LA FAMILLE

En plus de l'échange d'ingrédients, il existe quelques autres astuces que vous pouvez utiliser pour intégrer un régime faible en gras dans votre vie quotidienne:

La cuisson à la vapeur, le ragoût et les grillades sont des méthodes de cuisson faibles en gras pour un régime faible en gras.

Cuire dans le Römertopf ou avec des casseroles spéciales en acier inoxydable. Les aliments peuvent également être préparés sans gras dans des casseroles enduites ou en papier d'aluminium.

Vous pouvez également économiser de la graisse avec un pulvérisateur à pompe: versez environ la moitié de l'huile et de l'eau, secouez-la et vaporisez-la sur le fond de la poêle avant de la faire frire. Si vous n'avez pas de pulvérisateur à pompe, vous pouvez graisser le pot avec une brosse - cela économise également de la graisse.

Pour un régime faible en gras dans les sauces à la crème ou les ragoûts, remplacez la moitié de la crème par du lait.

Laisser refroidir les soupes et les sauces, puis retirer le gras de la surface.

Préparez les sauces avec un filet d'huile, de crème sure ou de lait.

Le bouillon de légumes et de rôti peut être accompagné d'une purée de légumes ou de pommes de terre crues râpées pour un régime faible en gras.

Placez du papier sulfurisé ou du film plastique sur la plaque à pâtisserie pour éviter de graisser.

Ajoutez simplement un petit morceau de beurre et des herbes fraîches aux plats de légumes et bientôt vos yeux mangeront aussi.

Nouez les plats de crème avec la gélatine.

ALIMENTATION FAIBLE EN GRAS: QUELLE EST-ELLE VRAIMENT SAINE?

Depuis longtemps, les experts en nutrition sont convaincus qu'une alimentation faible en gras est la clé d'une silhouette mince et de la santé. Le beurre, la crème et la viande rouge, par contre, étaient considérés comme un danger pour le cœur, les valeurs sanguineset les escaliers. Cependant, de plus en plus d'études suggèrent que la graisse n'est pas aussi mauvaise qu'elle l'est. Contrairement à un plan nutritionnel à faible teneur en matières grasses, les sujets testés pourraient, par exemple, s'en tenir à un menu méditerranéen avec beaucoup d'huile végétale et de poisson, être en meilleure santé et ne pas grossir.

En comparant différentes études sur les graisses, les chercheurs américains ont constaté qu'il n'y avait aucun lien entre la consommation de graisses saturées et le risque de maladie coronarienne. Il n'y avait pas non plus de preuve scientifique claire que les régimes pauvres en graisses prolongeaient la vie. Seules les graisses dites trans, qui sont produites, entre autres, lors de la friture et du durcissement partiel des graisses végétales (dans les frites, les chips, les produits de boulangerie prêts à l'emploi, etc.), ont été classées comme dangereuses par les scientifiques.

Ceux qui mangent uniquement ou principalement des aliments faibles en gras ou sans gras sont susceptibles de manger plus consciemment en général, mais courent le risque de consommer trop peu de «bons gras». Il existe également un risque de carence en vitamines liposolubles, dont notre corps a besoin pour absorber les graisses.

Régime faible en gras: l'essentiel

Un régime faible en gras vous oblige à prendre soin des aliments que vous avez l'intention de consommer. En conséquence, vous serez probablement plus conscient des achats, de la cuisine et des repas.

Pour perdre du poids, cependant, ce n'est pas principalement la provenance des calories qui compte, mais le fait que vous consommez moins de calories par jour que vous n'en utilisez. Plus encore: les graisses (essentielles) sont nécessaires à la santé globale, car sans elles, le corps ne peut pas utiliser certains nutriments et ne peut pas effectuer certains processus métaboliques.

En résumé, cela signifie: Un régime pauvre en graisses peut être un moyen efficace de contrôler le poids ou de compenser l'indulgence des graisses. Il n'est pas recommandé d'abandonner complètement les graisses alimentaires.

SALADE DE COURGES

Serevings: 2

INGRÉDIENTS

- 1 pc   courgette
- 1 pc   pomme
- 2 pièces   Oignon de printemps
- 1 prix sel
- 2 cuillères à soupe   Menthe fraîche

PRÉPARATION

Râper grossièrement les courgettes nettoyées et lavées dans un bol et assaisonner de sel. Laisser infuser un peu et verser l'eau obtenue.

Ensuite, épluchez la pomme et râpez-la avec les courgettes. Lavez et épluchez l'oignon et coupez-le en rondelles. Ajoutez enfin la menthe hachée dans la salade.

ASSAISONNER LES ZUCCHINI

S.

Serevings: 2

INGRÉDIENTS

- 3 cuillères à soupe   Crème aigre
- 2 cuillères à soupe   Mayonnaise, faible en gras
- 2 cuillères à soupe   Courgettes, râpées
- 2 cuillères à soupe   Oignon râpé
- 1 prix sel

PRÉPARATION

Dans un bol, râper finement les courgettes lavées et l'oignon pelé. Mélangez ensuite la mayonnaise et la crème sure et assaisonnez bien avec du sel et du poivre.

SALADE DE PELUCHE AVEC FETA

Serevings: 4

INGRÉDIENTS

- 1 pc   Pastèque
- 1 pc   Concombre
- 150 G Feta
- 1 Fédération Menthe fraîche

pour l'assaisonnement

- 2 cuillères à soupe   mon chéri
- 1 pc   Citron vert, le jus de celui-ci
- 1 prix sel

PRÉPARATION

Pour cette salade fruitée, coupez d'abord la pastèque en deux et en quatre, retirez la pulpe de la peau puis coupez-la en cubes.

Hachez grossièrement le fromage feta, lavez les feuilles de menthe et coupez-les en petits morceaux. Lavez le concombre, retirez la tige et coupez-le en petits morceaux.

Ensuite, mettez les morceaux de melon avec la feta, les morceaux de concombre et les feuilles de menthe dans un bol et mélangez bien.

Pour la vinaigrette, mélanger le miel avec le jus de citron vert et le sel et verser sur la salade.

SAUCE ENTIÈRE AUX POMMES DE TERRE ET TOMATES

Serevings: 4

INGRÉDIENTS

- 750 G Pommes de terre, cireuses
- 2 l   De l'eau pour faire bouillir les pommes de terre
- 1,5 TL Sel, pour cuire les pommes de terre
- 750 G tomates
- 2 cuillères à soupe   Gomasio, sel de sésame
- 1 pc   oignon
- 1 pc   gousse d'ail
- 1 cuillère à soupe   margarine
- 2 cuillères à soupe   Basilic séché

- 100 GRAMMES   Flocons d'amande
- 1 cuillère à soupe   Margarine, pour le moule

PRÉPARATION

Épluchez d'abord les pommes de terre, lavez-les, coupez-les en tranches, faites-les cuire dans une casserole avec de l'eau salée pendant environ 10 minutes puis égouttez l'eau.

En attendant, lavez les tomates, retirez les pousses et coupez-les en tranches de l'épaisseur des pommes de terre.

Ensuite, épluchez l'oignon et l'ail et coupez-les en petits cubes.

Faire fondre la margarine (ou le beurre) dans une casserole et faire revenir l'oignon et les morceaux d'ail à feu doux pendant environ 5 minutes.

Graisser maintenant un plat de cuisson avec de la margarine et déposer les tranches de tomates et les pommes de terre en couches alternées; Saupoudrez chaque couche d'un peu de Gomasio. Préchauffez maintenant le four à 220 ° C au-dessus et au-dessous.

Répartissez ensuite uniformément les morceaux d'oignon et d'ail cuit à la vapeur, le basilic et les amandes effilées sur la cocotte.

Enfin, faites cuire la cocotte entière avec les pommes de terre et les tomates au four préchauffé pendant environ 10 minutes.

BÂTONNETS DE BLÉ ENTIER

S.

Serevings: 1

INGRÉDIENTS

- 320 G farine complète
- 0,5 pièce   levure chimique
- 1 TL   sel
- 140 G quark faible en gras
- 7 cuillères à soupe   Huile de tournesol
- 5 cuillères à soupe   lait
- 3 cuillères à soupe   Lait pour le brossage

PRÉPARATION

Mettez la farine complète, la levure chimique et le sel dans un bol, mélangez et mélangez avec le fromage blanc, l'huile et le lait jusqu'à obtenir une pâte lisse.

Maintenant, façonnez la pâte en un rouleau et coupez 40 morceaux égaux avec un couteau. Façonnez chaque morceau de pâte en un bâton long et fin.

Placez-les sur une plaque à pâtisserie tapissée de papier sulfurisé et badigeonnez de lait.

Stangerl complet dans un four préchauffé à 180 ° C (air chaud) (une seule assiette) Cuire au four environ 20 minutes.

Ragoût de chou VÉGÉTARIEN POINT

Serevings: 4

INGRÉDIENTS

- 1 kg   chou
- 300 GRAMMES   Pommes   de   terre, généralement cireuses, petites
- 2 pièces   Oignons
- 1 Stg   Poireaux, poireaux
- 2 cuillères à soupe   Huile de colza, pour le pot
- 1 l   Bouillon de légumes, non salé

Pour les épices

- 2 pièces   Gousses d'ail

- 2 cuillères à soupe   sel de mer
- 0,5 TL Poivre, blanc, fraîchement moulu
- 0,5 TL Noix de muscade, fraîchement râpée
- 1 TL   Graines de fenouil
- 1 TL   Graines de cumin
- 1 pc   Bâton de cannelle, bébé
- 1 pc   feuille de laurier
- 1 prix Du sel de mer, juste assez

PRÉPARATION

Épluchez et coupez les oignons et l'ail en dés. Épluchez le poireau, coupez-le dans le sens de la longueur, lavez-le bien et coupez-le en cubes.

Ensuite, coupez le chou pointu en quatre dans le sens de la longueur, retirez la tige et coupez le chou en petits morceaux. Épluchez et lavez les pommes de terre et coupez-les en cubes de 2 cm.

Chauffer l'huile de colza dans une grande casserole et faire revenir l'oignon et les cubes d'ail environ 3-4 minutes.

Ajoutez ensuite le chou pointu, les pommes de terre et le poireau. Puis assaisonner avec du sel de mer, du poivre et de la muscade et ajouter les graines de fenouil, les graines de cumin, le bâton de cannelle et le laurier et faire sauter brièvement.

À ce stade, versez le bouillon de légumes et laissez mijoter le ragoût de chou végétarien pendant environ 25 minutes.

Enfin, prenez la feuille de laurier et le bâton de cannelle. Assaisonnez à nouveau le ragoût de sel de mer et servez chaud.

SOLYANKA VÉGÉTARIEN

S.

Serevings: 2

INGRÉDIENTS

- 200 G Tofu fumé
- 2 pièces   Paprika, rouge et jaune
- 2 pièces   Oignons
- 200 G Pâte de tomate
- 6 pièces   cornichons
- 150 ml Eau marinée
- 800 ml Bouillon de légumes, chaud
- 1 TL   Cassonade, cassonade
- 1 TL   Jus de citron
- 1 TL   Poudre de paprika, chaude comme une rose
- 1 prix Poivre, noir, moulu

- 125 ml Crème fouettée ou crème de soja
- 1 prix sel
- 2 cuillères à soupe   Persil haché
- 5 cuillères à soupe   L'huile de colza

PRÉPARATION

Couper en deux, évider, laver les poivrons et les couper en cubes. Coupez également le tofu fumé en cubes.

Épluchez les oignons et coupez-les en petits morceaux. Coupez les cornichons en petits morceaux.

Ensuite, faites chauffer l'huile de canola dans une casserole et faites frire les cubes de tofu pendant environ 6 à 8 minutes jusqu'à ce qu'ils soient croustillants et dorés.

Ajouter ensuite l'oignon et le poivron coupé en dés au tofu et faire revenir environ 5 minutes. Ajouter 140 grammes de concentré de tomate et cuire 1 minute.

Versez maintenant le bouillon de légumes, ajoutez les concombres marinés, l'eau de concombre marinée et le reste de la pâte de tomate et portez à ébullition pendant 1 minute.

Assaisonnez ensuite la solyanka végétarienne avec du sel, du poivre, de la cassonade et du paprika en poudre et laissez mijoter pendant environ 45 à 55 minutes.

Arrosez la soupe finie de crème fouettée et de jus de citron et ajoutez le persil haché juste avant de servir.

POIVRE VEGAN CHILI

S.

Serevings: 4

INGRÉDIENTS

- 120 G Granulés de soja
- 500 ml Bouillon de légumes, chaud
- 3 cuillères à soupe L'huile de colza
- 2 pièces Oignons
- 0,5 TL Paprika en poudre, épicé
- 0,5 TL Flocons de piment
- 1 pc gousse d'ail
- 50 GRAMMES Pâte de tomate
- 1 boîte Tomates, á 400 g
- 250 G haricots rouges
- 1 boîte Maïs, á 400 g

- 1 TL   sel
- 1 TL   du sucre
- 0,5 TL Poivre, noir, moulu

PRÉPARATION

Tout d'abord, faites chauffer le bouillon de légumes et faites-y tremper les granules de soja pendant environ 8 à 10 minutes. Versez ensuite au tamis, récupérez le bouillon et égouttez bien les granulés.

Pendant ce temps, épluchez et coupez l'oignon et l'ail en dés. Faites chauffer l'huile dans une casserole basse et faites revenir les granules de soja avec les cubes d'oignon pendant environ 5 minutes.

Ajoutez ensuite la pâte de tomate et faites cuire 1 minute. Mélangez l'ail, le paprika et les flocons de piment.

Maintenant, égouttez les haricots et le maïs et ajoutez-les avec les tomates et le bouillon et laissez mijoter le piment végétalien à feu doux pendant environ 20-25 minutes.

Enfin assaisonner de sel, poivre et sucre, porter à ébullition 1 minute et servir.

TREMPETTE VEGAN TOMATES

S.

Serevings: 8

INGRÉDIENTS

- 15 cuillères à soupe   Pâte de tomate
- 15 cuillères à soupe   vinaigre de cidre de pomme
- 250 G du sucre
- 1 prix sel
- 1 prix poivre

PRÉPARATION

Prenez d'abord une casserole, ajoutez la pâte de tomate,
le vinaigre et le sucre et portez à ébullition en remuant
à feu moyen.

Ensuite, laissez refroidir, assaisonnez de sel et de poivre et servez dans un bol.

MANGUE LASSI VEGAN

S.

Serevings: 2

- **INGRÉDIENTS**
- 1 pc   Mangue mûre
- 300 GRAMMES   Yaourt au lupin
- 150 ml l'eau
- 1 cuillère à soupe   Sirop d'agave

PRÉPARATION

Épluchez la mangue mûre, retirez la pulpe de la pierre et coupez-la en gros morceaux.

Mettez les morceaux de mangue avec le yaourt au lupin, l'eau et le sirop d'agave dans un mixeur et mixez-les finement.

Lassi à la mangue vegan farci au goût avec des glaçons dans des verres et garnir d'herbes fraîches.

POT DE STOCK VEGAN

S.

Serevings: 4

INGRÉDIENTS

- 4 pièces   Aubergine
- 2 pièces   Piments rouges et rouges
- 4 pièces   gousse d'ail
- 4 pièces   feuille de laurier
- 4 pièces   Paprika, coloré
- 1 pc   oignon
- 750 ml Bouillon de légumes
- 2 cuillères à soupe   huile d'olive
- 1 prix sel
- 1 prix Poivre du moulin
- 1 prix Poudre de paprika, chaude comme une rose

- 300 GRAMMES   pommes de terre

PRÉPARATION

Épluchez d'abord l'oignon et les gousses d'ail et coupez-les en petits morceaux. Ensuite, lavez les aubergines et coupez-les en tranches. Couper en deux, retirer le cœur, laver et couper le poivron en lanières.

Twist, laver et couper les piments en petits morceaux. Épluchez les pommes de terre et coupez-les en cubes.

Faites maintenant chauffer l'huile d'olive dans une casserole à feu moyen et faites rôtir l'oignon et l'ail coupés en dés.

Ajouter ensuite les aubergines tranchées, les lanières de paprika et le poivron rouge et faire revenir brièvement.

Ajoutez maintenant les feuilles de laurier et les pommes de terre en dés, versez le bouillon de légumes et laissez mijoter pendant environ 25 minutes.

Selon votre goût, assaisonnez le pot de légumes végétalien avec du sel, du poivre et de la poudre de paprika et servez.

YOGOURT VEGAN SURGELÉ

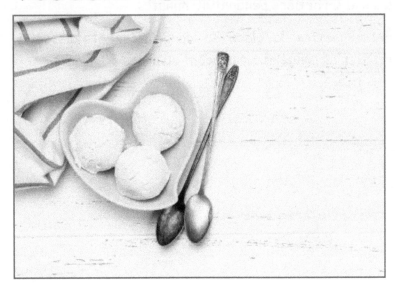

S.

Serevings: 4

INGRÉDIENTS

- 6 cuillères à soupe   sirop d'érable
- 6 cuillères à soupe   Cuisson à l'avoine
- 400 G yogourt végétalien (de votre choix)
- 4 cuillères à soupe   Boisson à l'avoine

PRÉPARATION

Pour commencer, ajoutez le yogourt végétalien, la boisson à l'avoine, le sirop d'érable et le lait de coco dans le mélangeur.

Mélangez bien le tout pendant une minute puis mettez dans la sorbetière pendant 40 minutes.

Enfin, mettez la glace au congélateur et laissez-la reposer au congélateur pendant au moins 20 minutes.

CRÈME DE FROMAGE VEGAN À BASE DE CAJOU

Serevings: 5

INGRÉDIENTS

- 250 G Noix de cajou, naturelles
- 2 cuillères à soupe Flocons de levure (de Raiponce)
- 4 cuillères à soupe vinaigre de cidre de pomme
- 2 cuillères à soupe Jus de citron, en bouteille ou tout droit
- 1 prix sel et poivre
- 0,5 Fédération Ciboulette fraîche

PRÉPARATION

Pour commencer, mettez les noix de cajou dans un grand bol et remplissez-le avec suffisamment d'eau pour couvrir les grains. Maintenant, laissez tout tremper pendant la nuit.

Ensuite, égouttez les noix de cajou et mélangez-les avec les flocons de levure, le vinaigre de cidre de pomme, le jus de citron, l'eau, le sel et le poivre dans un mélangeur pendant environ une minute.

Pendant ce temps, lavez, séchez et hachez finement la ciboulette. Mélangez ensuite la masse du batteur avec la ciboulette dans un bol, assaisonnez le tout à nouveau avec du sel et du poivre et le fromage à la crème végétalien à base de cajou est prêt.

CRÈME DE CHAMPIGNON VEGAN

S.

Serevings: 4

INGRÉDIENTS

- 200 G Champignons
- 2 pièces   Oignons
- 100 ml Crème de soja
- 0,25 TL   sel
- 0,25 TL   poivre
- 2 cuillères à soupe   ciboulette, hachée
- 2 cuillères à soupe   Flocons de levure
- 1 cuillère à soupe   Jus de citron
- 1 coup huile d'olive

- 1 cuillère à soupe   Beurre d'amande

PRÉPARATION

Pour commencer, faites chauffer l'huile d'olive dans une poêle, nettoyez les champignons, coupez-les en fines tranches et faites-les frire dans une poêle avec l'huile d'olive pendant environ 10 minutes jusqu'à ce que tout le liquide se soit évaporé.

Pendant ce temps, épluchez les oignons, coupez-les en cubes et placez-les dans un bol avec la crème de soja, le beurre d'amande et le jus de citron.

Retirez ensuite les champignons de la poêle, ajoutez-les dans le bol et ajoutez les flocons de levure, le sel, le poivre et la ciboulette.

Enfin, mettez tous les ingrédients dans un mixeur et mélangez les champignons vegan à tartiner en une masse crémeuse.

CRÈME VEGAN À LA BETTERAVE ET AU CHEVAL

Serevings: 8

INGRÉDIENTS

- 100 GRAMMES Lupins doux, moulus
- 2 cuillères à soupe Tahini (champignon de sésame)
- 4 cuillères à soupe huile d'olive
- 1 TL Jus de citron
- 1 prix sel
- 1 prix poivre
- 1 noeud Betterave, précuite
- 1 TL Crème de raifort

PRÉPARATION

Préparez d'abord les lupins sucrés broyés selon les instructions sur l'emballage.

Ensuite, laissez refroidir un peu les lupins et mélangez-les finement avec le tahini, l'huile d'olive et le jus de citron. Puis assaisonnez de sel et de poivre.

Épluchez les betteraves, coupez-les en gros morceaux, combinez-les avec les lupins avec le raifort et à nouveau avec la purée.

Enfin, remplissez la crème végétalienne de betterave et de raifort dans un verre propre et refermable et réfrigérez.

AVOINE DE NUIT VEGAN AUX FRAISES

Serevings: 4

INGRÉDIENTS

- 200 G gruau
- 500 ml Lait d'amande
- 500 G Des fraises
- 4 TL   mon chéri

PRÉPARATION

Mélangez les flocons d'avoine avec le lait d'amande la veille et laissez gonfler une nuit au réfrigérateur.

Le lendemain matin, divisez l'avoine pour la nuit dans quatre verres. Lavez, séchez et coupez en quartiers les fraises fraîches.

Pliez les 3/4 du mélange de fraises dans l'avoine pendant la nuit et utilisez 1/4 pour la garniture.

Enfin, assaisonnez l'avoine pour la nuit avec du miel si vous le souhaitez.

MOUSSAKA VEGAN

S.

Serevings: 4

INGRÉDIENTS

- 300 GRAMMES   Pommes de terre, cireuses
- 400 G aubergine
- 300 GRAMMES   courgette
- 2 pièces   Tomates, super
- 0,5 TL Sel, pour l'eau de cuisson
- 1 cuillère à soupe   L'huile d'olive, pour la forme
- 1 prix sel
- pour la sauce tomate
- 2 pièces   Gousses d'ail
- 2 pièces   échalote
- 3 cuillères à soupe   huile d'olive

- 2 cuillères à soupe   Pâte de tomate
- 400 G Tomates, hachées, en conserve
- 1 prix du sucre
- 400 ml Bouillon de légumes, chaud
- 2 TL   Feuilles de thym hachées
- 1 TL   Paprika en poudre, épicé
- 1 prix Poudre de cannelle
- 0,5 TL sel
- 1 prix Poivre, noir, moulu

pour la béchamel

- 50 GRAMMES   Farine
- 50 GRAMMES   Margarine de légumes
- 350 ml Boisson au soja
- 1 prix sel
- 1 prix Muscade, râpé
- 1 prix Poivre, blanc, moulu

PRÉPARATION

Tout d'abord, épluchez, lavez et coupez en fines tranches les pommes de terre. Lavez et nettoyez les aubergines et les courgettes, coupez-les en fines tranches et saupoudrez-les de sel.

Ensuite, lavez les tomates, retirez la tige et coupez-les en tranches.

Porter à ébullition l'eau et un peu de sel dans une casserole, ajouter les tranches de pommes de terre et cuire à feu moyen pendant environ 8 minutes. Puis égouttez et égouttez bien.

Pour la sauce tomate, retirer l'échalote et l'ail et hacher finement.

Chauffer l'huile d'olive dans une poêle, faire revenir l'ail et les échalotes pendant environ 2 minutes jusqu'à ce qu'elles soient translucides et incorporer la pâte de tomate.

Puis déglacer avec le bouillon de légumes, ajouter les tomates en conserve et porter à ébullition 1 minute. Ensuite, baissez le feu, assaisonnez avec le sucre, le thym, la cannelle, le paprika en poudre, le sel et le poivre et laissez mijoter pendant environ 5 minutes.

Pendant ce temps, préchauffez le four à 180 ° C (four à convection 160 ° C) et graissez un plat de cuisson avec de l'huile d'olive.

Placez maintenant la moitié des tranches d'aubergine, de pomme de terre et de courgette dans le moule et versez dessus la sauce tomate. Disposer les tranches de légumes restantes et recouvrir du reste de la sauce. Enfin, posez les tranches de tomates sur le dessus.

Pour la béchamel, faites fondre la margarine dans une casserole, ajoutez la farine en remuant constamment et faites suer pendant environ 2 minutes.

Versez ensuite la boisson de soja et faites cuire pendant environ 3-4 minutes, en remuant, jusqu'à ce que la sauce soit épaisse et lisse. Enfin assaisonner la sauce avec du sel, du poivre et de la muscade.

Versez maintenant la béchamel sur la moussaka végétalienne et faites cuire sur la grille centrale au four préchauffé pendant environ 45 minutes.

SOUPE AUX LENTILLES VEGAN

S.

Serevings: 4

INGRÉDIENTS

- 250 G Lentilles, brunes
- 1 Stg Poireau
- 2 pièces   Carottes
- 1 pc   oignon
- 2 l   Bouillon de légumes, chaud
- 3 pièces   Pommes de terre, cireuses
- 1 cuillère à soupe   Huile végétale
- 1 prix sel
- 1 prix Poivre, noir, moulu
- 1 prix du sucre
- 2 cuillères à soupe   Persil haché

PRÉPARATION

Épluchez d'abord les pommes de terre et les carottes, lavez-les et coupez-les en cubes. Épluchez l'oignon et hachez-le finement.

Ensuite, nettoyez le poireau, lavez-le soigneusement et coupez-le en fines tranches. Mettez les lentilles dans une passoire, rincez-les à l'eau froide et égouttez-les.

Faites chauffer l'huile dans une marmite à bouillon et faites dorer les lentilles, les carottes, les oignons et les poireaux pendant environ 1 minute. Versez le bouillon de légumes et portez à ébullition.

Dès que la soupe bout, baisser la température, couvrir et laisser mijoter environ 15 minutes.

Ajoutez ensuite les cubes de pommes de terre à la soupe et laissez mijoter encore 15 minutes. Enfin assaisonner avec du sel, du poivre et du sucre.

Remplissez la soupe aux lentilles végétalienne finie dans les bols, saupoudrez-la de persil et dégustez.

SOUPE VEGAN À LA CITROUILLE

S.

Serevings: 4

INGRÉDIENTS

- 1 kg   Citrouille d'Hokkaido
- 300 gl patate douce
- 500 ml Bouillon de légumes, chaud
- 1 boîte Lait de coco, non sucré, á 400 ml
- 1 pc   oignon
- 2 pièces   Gousses d'ail
- 1 cuillère à soupe   Huile de noix de coco
- 15 G   Gingembre frais
- 1 TL   Poudre de paprika, noble sucré

- 0,5 TL Curcuma
- 0,5 TL Coriandre moulue
- 1 prix Poivre, noir, fraîchement moulu
- 1 prix sel
- 2 cuillères à soupe Huile d'olive, pour le brossage
- 2 cuillères à soupe Persil haché

PRÉPARATION

Préchauffer d'abord le four à 200 ° C au-dessus / en dessous et tapisser une plaque à pâtisserie de papier sulfurisé.

Ensuite, lavez la patate douce et piquez-la plusieurs fois avec une fourchette. Lavez la citrouille, coupez-la en deux et grattez les graines, y compris les fibres. Coupez la citrouille en quartiers.

Mettre les pommes de terre et la citrouille en quartiers sur la plaque à pâtisserie et badigeonner d'huile d'olive. Cuire au four préchauffé sur la grille centrale pendant environ 40 à 45 minutes. Sortez ensuite du four, laissez refroidir 10 minutes, épluchez et coupez les patates douces en dés.

Épluchez et hachez finement l'oignon et l'ail. Épluchez le gingembre et hachez-le finement. Chauffer l'huile dans une casserole à feu moyen et faire revenir l'oignon et les cubes d'ail pendant environ 2 minutes.

Ajoutez maintenant le gingembre et faites-le frire pendant 1 minute. Ajouter les pommes de terre, la citrouille, le paprika en poudre, le curcuma et la coriandre, verser le lait de coco et le bouillon et porter le tout à ébullition. Porter le contenu de la casserole à ébullition pendant 1 minute, baisser la température et laisser mijoter encore 10 minutes.

Mélangez finement à l'aide d'un bâton de coupe. Si la soupe est encore trop épaisse, ajoutez un peu de bouillon. Assaisonnez avec du sel et du poivre.

Remplissez de soupe de potiron végétalienne dans des bols préchauffés, saupoudrez de persil et dégustez.

GUACAMOLE VEGAN

S.

Serevings: 4

INGRÉDIENTS

- 2 pièces   Avocat
- 2 pièces   Citron vert, le jus
- 3 pièces   gousse d'ail
- 1 TL   Poudre de piment, délicate
- 1 prix sel
- 1 prix Poivre du moulin

PRÉPARATION

Couper les avocats en deux, retirer le noyau et mélanger la pulpe avec le jus de citron vert, l'ail pressé et le chili en poudre à l'aide d'un mixeur.

Assaisonner au goût avec du sel et du poivre avant de servir.

SOUPE À LA CRÈME VEGAN BROCOLI AUX HARICOTS BLANCS

Serevings: 4

INGRÉDIENTS

- 1 kpf   brocoli
- 400 G haricots blancs, précuits
- 1 Stg   Poireau
- 2 pièces   Gousses d'ail
- 800 ml Bouillon de légumes
- 1 TL   sel
- 0,5 TL Poivre, fraîchement moulu
- 0,5 TL Poudre de paprika

PRÉPARATION

Nettoyez d'abord le poireau, lavez-le bien et coupez-le en fines tranches. Épluchez et coupez l'ail en dés. Nettoyez les brocolis, coupez-les en fleurettes et lavez-les.

Faites ensuite revenir les poireaux et l'ail avec un filet de bouillon de légumes dans une grande casserole à feu moyen jusqu'à ce qu'ils soient translucides.

Ajoutez ensuite les fleurons de brocoli et faites cuire environ 5 minutes.

Ajouter ensuite les haricots blancs et le bouillon de légumes, porter à ébullition, assaisonner de sel, poivre et paprika et laisser mijoter environ 10 minutes jusqu'à ce que le brocoli soit cuit.

Enfin, mélangez la soupe avec un mélangeur à main jusqu'à ce qu'elle soit crémeuse et ajoutez un peu plus d'assaisonnement si nécessaire.

SAUCE À LA VANILLE SANS SUCRE

Portions: 4

INGRÉDIENTS

- 500 ml lait
- 1,5 cuillère à soupe   amidon alimentaire
- 1 pc   jaune d'œuf
- 1 pc   Gousse de vanille
- 3 Tr   Stevia, édulcorant liquide au goût

PRÉPARATION

Mettez d'abord la fécule de maïs dans un bol. Ajoutez ensuite le jaune à la fécule de maïs et battez avec le fouet d'un batteur à main pendant environ 2 minutes.

Ajoutez ensuite environ 6-7 cuillères à soupe de lait et battez encore 3-4 minutes.

Ensuite, coupez la gousse de vanille, grattez la pulpe et ajoutez-la au lait d'œuf. Mélangez avec le fouet pendant encore une minute.

À ce stade, faites chauffer le reste du lait dans une casserole, portez à ébullition pendant 1 minute puis retirez du feu. Incorporer le lait d'amidon vanillé au lait chaud, bien mélanger et remettre sur le feu.

La sauce à la vanille sans sucre peut, en remuant encore une fois, faire bouillir 1 minute et faire attention à ce qu'elles ne brûlent pas. Enfin, selon votre goût, ajoutez 2-3 gouttes de douceur liquide et laissez refroidir la sauce.

FENOUIL CUIT AU MOZZARELLA

Serevings: 4

INGRÉDIENTS

- 4 noeuds   fenouil
- 2 pièces   tomates
- 4 cuillères à soupe   Jus de citron
- 250 G Fromage mozzarella
- 1 pc   feuille de laurier
- 1 au milieu   Romarin
- 1 au milieu   thym
- 150 ml Vin blanc sec
- 350 ml Bouillon de légumes
- 1 prix sel

- 1 prix Poivre moulu
- 2 cuillères à soupe   Huile, pour graisser

PRÉPARATION

Préchauffez d'abord le four à 200 ° C haut et bas / convection 180 ° C et graissez un plat de cuisson avec un filet d'huile.

Ensuite, lavez et séchez le fenouil, coupez les extrémités dures et coupez-les en fines lanières.

Maintenant, mettez le vin avec le bouillon de légumes dans une casserole, portez le tout à ébullition et faites cuire à feu moyen pendant 4-6 minutes.

Pendant ce temps, lavez, séchez et hachez finement le romarin et le thym.

Ajoutez ensuite les herbes hachées avec la feuille de laurier et une pincée de sel et de poivre dans la casserole.

Ajoutez ensuite le fenouil à la casserole et faites cuire pendant 4 à 6 minutes.

Pendant ce temps, égouttez la mozzarella et coupez-la en tranches.

Ensuite, lavez les tomates, séchez-les et coupez-les également en fines tranches.

À l'étape suivante, égouttez les fenouils, égouttez-les bien, mettez-les dans la casserole et saupoudrez-les de jus de citron.

Enfin, mettez les tomates et la mozzarella dans la poêle et faites cuire le fenouil au four environ 10 minutes.

PÂTE À LA LEVURE FANTASTIQUE DOUCE

Serevings: 1

- **INGRÉDIENTS**
- 500 G Farine d'épeautre type 630
- 250 ml Boisson au soja
- 120 G Sucre de canne brut
- 1 prix sel
- 2 cuillères à soupe Huile de tournesol
- 42 G Levure fraîche

PRÉPARATION

Émiettez d'abord le cube de levure dans un bol, ajoutez la boisson de soja et 2 cuillères à soupe de sucre de canne brut, mélangez brièvement et laissez reposer environ 10 minutes.

Ajoutez ensuite la farine, le sel, l'huile de tournesol et le sucre de canne brut restant et mélangez bien le tout pendant quelques minutes, idéalement avec un robot culinaire ou un batteur lent avec un crochet pétrisseur.

Dès qu'une pâte lisse et uniforme s'est formée, humidifiez un torchon propre et placez-le sur le bol. Enfin, mettez-le dans un endroit chaud pendant environ quatre heures afin que la pâte puisse lever en paix.

Selon la recette supplémentaire pour laquelle la pâte à levure merveilleusement sucrée est utilisée, le temps de cuisson est d'environ 30 minutes à 180 ° C (convection).

SOUPE À LA TOMATE

S.

Serevings: 4

INGRÉDIENTS

- 1 l   bouillon d'os léger
- 500 G tomates
- 60 G   beurre
- 50 GRAMMES   Système racinaire
- 1 pc   oignon
- 40 G   Farine
- 1 coup le vinaigre
- 1 TL   du sucre
- 0,5 TL Poivres
- 1 TL   sel
- 2 pièces   Ail

PRÉPARATION

Épluchez ou nettoyez les racines, épluchez l'oignon et l'ail et coupez les ingrédients en petits morceaux. Rôtissez des grains de poivre avec un peu de beurre.

Faites légèrement frire le tout avec un peu de farine et versez sur 1 litre de bouillon d'os.

Puis déchirez les tomates pelées et incorporez-les dans le bouillon avec le concentré de tomates.

La soupe est cuite pendant encore 25 minutes avec du sel, du vinaigre et du sucre.

Enfin, filtrez finement la soupe aux tomates avec une passoire.

SOUPE DE TOMATES SANS SUCRE

Serevings: 2

INGRÉDIENTS

- 100 GRAMMES   Maïs soufflé au micro-ondes, légèrement salé
- 3 pièces   Carottes
- 10 pièces   Cocktail, tomates rouges
- 0,5 l   Bouillon de légumes
- 0,5 pièce   oignon
- 1 prix sel
- 1 prix Poivre, noir, moulu

PRÉPARATION

Laissez d'abord gonfler le maïs soufflé au micro-ondes pendant environ 3-4 minutes, puis retirez-le et réservez.

Épluchez, lavez et râpez les carottes sur une râpe tranchante. Porter le bouillon de légumes à ébullition dans une casserole, ajouter les carottes et cuire environ 12 à 15 minutes jusqu'à ce qu'elles soient tendres.

Pendant ce temps, lavez les tomates et coupez-les en deux. Épluchez les oignons et coupez-les en fines tranches. Ajouter les tomates et les oignons à la soupe et laisser mijoter encore 30 minutes à feu doux.

Enfin, mélangez le tout finement avec un bâton de coupe et portez à ébullition encore une minute.

La soupe de tomates sans sucre à déguster avec sel et poivre et mise dans un plat chaud. Ajouter le maïs soufflé à la soupe comme garniture et servir.

SOUPE DE TOMATES AU RIZ

S.

Serevings: 4

INGRÉDIENTS

- 2 pièces   oignon
- 2 cuillères à soupe   L'huile d'olive, pour le pot
- 150 G Riz à grain long
- 1 l   Jus de tomate
- 1 TL   sel
- 1 prix poivre blanc
- 0,5 TL du sucre
- 3 cuillères à soupe   Persil frais haché
- 0,5 TL Marjolaine, hachée finement

PRÉPARATION

Pour la soupe aux tomates accompagnée de riz, épluchez d'abord et hachez finement les oignons. Faites ensuite chauffer l'huile dans une casserole et faites-y dorer les morceaux d'oignon.

Ensuite, lavez le riz, ajoutez-le aux oignons et faites-le frire pendant 1 à 2 minutes.

Versez ensuite le jus de tomate, saupoudrez de marjolaine, sel et poivre, portez à ébullition et laissez mijoter à couvert pendant environ 15-20 minutes jusqu'à ce que le riz soit cuit.

Enfin assaisonner à nouveau la soupe avec du sel, du poivre et du sucre, saupoudrer de persil haché et servir garni d'une feuille de basilic.

SOUPE DE TOMATES À L'ORGE PERLE

Serevings: 2

INGRÉDIENTS

- 1 boîte Tomates, á 800 g
- 1 Fédération   Soupe de légumes (céleri, carottes, poireaux)
- 1 pc   oignon
- 1 pc   gousse d'ail
- 75 G   orge perlée
- 6 pièces   feuilles de sauge
- 1 cuillère à soupe   huile d'olive
- 750 ml Bouillon de légumes

- 6 cuillères à soupe   Crème fraîche au fromage
- 4 cuillères à soupe   Parmesan fraîchement râpé
- 1 prix sel
- 1 prix Poivre, noir, fraîchement moulu

PRÉPARATION

Épluchez d'abord les carottes et le céleri, puis lavez-les et coupez-les en cubes. Nettoyez le poireau, lavez-le bien et coupez-le également en cubes.

Épluchez l'oignon et l'ail et coupez-les en petits dés. Ensuite, lavez la sauge et coupez-la en fines lanières.

Ensuite, faites chauffer l'huile d'olive dans une casserole et faites revenir les légumes coupés en dés, l'oignon et l'ail pendant environ 3-4 minutes. Ajoutez ensuite les feuilles de sauge et l'orge perlé et faites sauter pendant 2-3 minutes.

Ajoutez maintenant le bouillon et le jus des tomates en conserve. Hachez grossièrement les tomates en conserve et ajoutez-les.

La soupe de tomates à l'orge perlé peut ensuite mijoter environ 30 minutes à température moyenne.

Enfin, incorporer la crème fraîche et le parmesan râpé dans la soupe, assaisonner de sel et de poivre et servir chaud.

SAUCE TOMATE AUX AUBERGINES

Serevings: 4

INGRÉDIENTS

- 2 pièces   Aubergine, de taille moyenne
- 4 pièces   Tomates, super
- 2 pièces   Gousses d'ail
- 2 cuillères à soupe   Basilic, haché
- 1 prix sel
- 1 TL   huile d'olive
- 1 prix poivre

PRÉPARATION

Épluchez les gousses d'ail, passez-les au presse-ail et faites-les revenir légèrement dans une poêle avec l'huile.

Retirez les tiges des aubergines, épluchez-les, coupez-les en cubes et mélangez-les dans une casserole avec l'ail.

Ensuite, lavez les tomates, coupez-les en petits morceaux et mélangez-les également dans la casserole. Faites frire les légumes dans une poêle pendant environ 6 à 8 minutes, en remuant constamment.

Assaisonner ensuite avec du sel, du poivre et du basilic frais au goût et servir avec du pain blanc.

TOMATES FARCIES AUX ÉPINARDS

Serevings: 4

INGRÉDIENTS

- 4 pièces   Tomates Steak de Boeuf
- 1 pc   oignon
- 2 pièces   Gousses d'ail
- 175 G Feuilles d'épinards
- 2 cuillères à soupe   huile d'olive
- 60 G   Fromage de chèvre
- 3 cuillères à soupe   Fromage râpé (râpé)
- 1 prix sel et poivre
- 1 prix Noix de muscade (moulue)

PRÉPARATION

Coupez un couvercle sur les tomates lavées, grattez la pulpe avec une cuillère et placez les tomates dans un plat de cuisson huilé.

Lavez et égouttez les épinards.

Épluchez l'oignon et l'ail, hachez-les finement et faites-les revenir dans l'huile d'olive chaude jusqu'à ce qu'ils deviennent translucides. Ajoutez ensuite les épinards, le ragoût al dente et mélangez avec le fromage de brebis.

Assaisonnez ensuite le mélange d'épinards avec de la muscade, du sel et du poivre, versez les tomates, saupoudrez de fromage râpé et mettez les tomates farcies aux épinards dans le four préchauffé (180 ° C) pendant 10 minutes.

TOMATES ENVELOPPÉES DE CONCOMBRE

Serevings: 2

INGRÉDIENTS

- 8 pièces   Tomates à cocktail
- 1 coup huile d'olive
- 2 pièces   Concombres
- 1 prix Épices (sel, poivre, etc.)

PRÉPARATION

Retirez les extrémités du concombre et coupez-le en fines tranches dans le sens de la longueur. Placez les tranches de concombre sur le comptoir. Mettez une tomate sur chacun et enveloppez-le bien.

Pour que tout se tienne, il est fixé avec des cure-dents. Assaisonnez, badigeonnez d'huile d'olive et placez-les sur le gril chaud (5-7 min.)

BOL FROID POUR TOMATES

S.

Serevings: 4

INGRÉDIENTS

- 1 kg   Tomates, en conserve, coupées en dés
- 4 pièces   gousse d'ail
- 3 entre   basilic
- 600 ml Bouillon de légumes
- 1 pc   du jus d'orange
- 1 prix sel

PRÉPARATION

Dans un premier temps, épluchez et hachez finement l'ail, hachez également finement le basilic lavé.

Porter à ébullition les tomates, l'ail, le jus d'orange, le basilic et le bouillon dans une grande casserole et laisser mijoter quelques minutes à feu doux.

Mélangez ensuite la soupe avec un mixeur, assaisonnez de sel et couvrez et laissez refroidir pendant au moins 4 heures.

BÂTONNETS DE TOMATE ET DE CONCOMBRE

Serevings: 2

INGRÉDIENTS

- 8 pièces   tomates cerises
- 1 prix sel
- 1 pc   Concombre
- 1 prix Poivre (fraîchement moulu)
- 1 coup huile d'olive
- 8 pièces   Cure-dent (à réparer)

PRÉPARATION

Lavez le concombre et coupez-le dans le sens de la longueur en tranches très fines avec un éplucheur de pommes de terre.

Posez ensuite les tranches de concombre sur le plan de travail et assaisonnez de sel et de poivre. Maintenant, posez les tomates lavées à une extrémité, roulez-les bien et fixez-les avec un cure-dent.

Puis badigeonner d'huile d'olive, placer sur le gril chaud (ou four / gril) et griller pendant environ 5 minutes.

SAUCE THAI AIGRE ET DOUCE

S.

Serevings: 4

INGRÉDIENTS

- 1 pc   poivrons rouges, excellents
- 2 pièces   Gousses d'ail
- 1 pc   Piment
- 5 cuillères à soupe   Vinaigre de riz
- 10 cuillères à soupe   du sucre
- 250 ml l'eau

PRÉPARATION

Dans la première phase, lavez les poivrons, coupez-les en deux, retirez le cœur et coupez-les en petits morceaux, faites de même avec le piment.

Ensuite, épluchez l'ail, hachez-le grossièrement et mettez-le dans le mixeur avec les morceaux de poivre, les morceaux de piment, le vinaigre et l'eau. Mélangez ensuite le tout pendant environ une minute, puis versez-le dans une casserole.

Ajoutez maintenant le sucre, mélangez et laissez mijoter à feu doux en remuant jusqu'à ce que la sauce épaississe.

Ensuite, laissez refroidir et servez la sauce thaï aigre-douce finie dans un bol ou sur une assiette.

POMMES DE TERRE DOUCES AU FROMAGE DE COTTAGE

Serevings: 3

INGRÉDIENTS

- 2 pièces   Patates douces
- 2 pièces   Carottes
- 3 cuillères à soupe   Feuilles de basilic
- 200 G Ricotta, fromage à la crème
- 1 prix sel
- 1 prix Poudre de paprika, noble sucré
- 1 prix Poivre moulu
- 3 cuillères à soupe   Persil (frais

PRÉPARATION

Préchauffez d'abord le four à 200 ° C de chaleur supérieure et inférieure / 180 ° C d'air en circulation.

En attendant, lavez et épluchez les patates douces, coupez-les en 6 tranches ou en morceaux égaux, disposez-les sur une plaque à pâtisserie et faites cuire au four environ 10 minutes.

Pendant ce temps, lavez et épluchez les carottes et râpez-les finement dans un bol avec une râpe de cuisine.

Ensuite, lavez le basilic, secouez-le pour le sécher et hachez-le finement avec un couteau.

Ajoutez ensuite la ricotta dans le bol et mélangez avec le sel, le poivre, le paprika et le basilic.

Maintenant, lavez, séchez et hachez finement le persil.

Enfin, sortez les patates douces du four, badigeonnez de ricotta et garnissez de persil.

SALADE DE POMMES DE TERRE DOUCE AUX ÉPINARDS

Serevings: 4

INGRÉDIENTS

- 4 pièces   Patates douces de taille moyenne
- 150 G Épinards, jeunes
- 16 pièces   tomates cerises
- 80 G   pignons de pin
- 4 cuillères à soupe   huile d'olive
- 1 prix sel
- 1 prix poivre
- 1 pc   avocet

pour l'assaisonnement

- 3 cuillères à soupe   Miel, liquide
- 3 cuillères à soupe   Vinaigre de vin rouge
- 2 cuillères à soupe   huile d'olive
- 1 prix sel
- 1 prix poivre

PRÉPARATION

Tout d'abord, épluchez et lavez les patates douces et coupez-les en quartiers fins et uniformes.

Répartissez les épinards, lavez-les bien et séchez-les. Lavez les tomates cerises et coupez-les en deux.

Maintenant, faites griller les pignons de pin dans une poêle sans gras - remuez constamment, puis sortez-les de la casserole et laissez-les refroidir.

Faites maintenant chauffer 4 cuillères à soupe d'huile d'olive dans une poêle antiadhésive, faites revenir les quartiers de patates douces à feu moyen pendant environ 15 minutes et assaisonnez de sel et de poivre.

Ensuite, épluchez l'avocat, retirez le noyau et coupez-le en fines tranches.

Maintenant, mettez le miel, le vinaigre et l'huile d'olive dans un bol, battez bien avec le mélangeur et assaisonnez de sel et de poivre.

Enfin, étalez les épinards et l'avocat au centre des assiettes, puis décorez les patates douces avec les tomates, arrosez de vinaigrette et servez la salade de patates douces aux épinards saupoudrée de pignons de pin.

CHIPS DE CURRY DE POMME DE

S.

Serevings: 2

INGRÉDIENTS

- 2 pièces   Patate douce, super
- 2 cuillères à soupe   Huile, neutre
- 1 TL   curry
- 1 TL   sel
- 1 prix Poivre, fraîchement moulu

PRÉPARATION

Préchauffez le four à 180 degrés et couvrez une plaque
à pâtisserie de papier sulfurisé.

Ensuite, lavez soigneusement la patate douce, coupez-la en fines tranches ou coupez-la en tranches et placez-la sur la plaque à pâtisserie.

Arroser d'huile et assaisonner de sel, poivre et curry, puis cuire les frites au curry au four chaud pendant 20 minutes.

CAROTTES DOUCES

S.

Serevings: 4

INGRÉDIENTS

- 700 G Carottes, petites
- 1 cuillère à soupe   beurre
- 3 cuillères à soupe   mon chéri

PRÉPARATION

Lavez et épluchez les carottes au préalable, couvrez d'un peu d'eau et faites cuire à feu doux.

Chauffer ensuite le beurre dans une poêle à feu moyen, ajouter le miel et les carottes et glacer les carottes en remuant constamment à feu doux. Cela prend environ 1 à 2 minutes.

NOURRITURE CRUE DE CITROUILLE DOUCE

S.

Serevings: 3

INGRÉDIENTS

- 1 pc   Citrouille d'Hokkaido, bébé
- 1 prix Vanille moulue
- 1 prix Cannelle biologique, variété Ceylan
- 2 cuillères à soupe   Sirop d'érable (plus si nécessaire)

PRÉPARATION

Lavez d'abord la citrouille, coupez-la en deux, retirez la pierre et râpez-la avec une râpe de cuisine.

Ensuite, mettez la pulpe dans un joli bol, ajoutez la vanille, le sirop d'érable et la cannelle et dégustez la citrouille crue sucrée finie.

SALADE DE CHOU CHINOIS DOUX ET AIGRE

Serevings: 2

INGRÉDIENTS

- 1 pc   chou chinois

pour l'assaisonnement

- 2 cuillères à soupe   sauce soja
- 1 TL   mon chéri
- 1 cuillère à soupe   Vinaigre de riz
- 2 pièces   gousse d'ail

PRÉPARATION

Retirez la tige du chou chinois, lavez bien les feuilles et coupez-les en lanières. Ensuite, épluchez et hachez finement l'ail.

Mélangez ensuite une vinaigrette avec l'ail, la sauce soja, le vinaigre de riz et le miel.

Faire mariner la salade de chou chinois aigre-doux avec elle et laisser refroidir 15 minutes avant de servir.

TURBOT AUX ALGUES DE MER ET SALADE D'ORANGE

Serevings: 4

INGRÉDIENTS

- 1,5 carton   Rhombe
- 50 GRAMMES   Algues, séchées, par ex. Wakame, nouilles aux fruits de mer
- 2 pièces   Des oranges
- 2 cuillères à soupe   huile de sésame
- 2 TL   Vinaigre de vin
- 2 TL   Miel, liquide
- 2 msp sel
- 20 ml L'huile de colza
- 1 TL   sel de mer

- 0,5 TL Poivre, noir, fraîchement moulu

PRÉPARATION

Filetez le turbot entier. Laisser la peau des deux filets côté clair et retirer la peau des deux filets côté foncé et granuleux.

Plongez ensuite les algues dans l'eau froide pendant 30 minutes, passez-les au tamis, rincez bien à l'eau froide et portez à ébullition dans une casserole avec beaucoup d'eau. Laisser mijoter 20 minutes, égoutter et laisser refroidir. Hachez grossièrement les algues et placez-les dans un bol.

Maintenant, retirez la peau des oranges avec un couteau bien aiguisé, retirez les filets et réservez. Pressez le jus de l'orange et ajoutez-le aux algues. Ajoutez également l'huile de sésame, le vinaigre et le miel d'algues et mélangez bien. Avant de servir, ajoutez les filets d'orange et assaisonnez avec 2 pincées de sel.

Coupez les filets de turbot en portions. Mettez l'huile de canola dans une poêle tapissée et déposez les filets (ceux avec la peau du côté peau) dessus. Ne pas assaisonner les filets à l'avance. Faites maintenant chauffer la poêle lentement mais régulièrement et laissez les filets reposer sur un côté jusqu'à ce qu'ils soient bien dorés et croquants (3-4 minutes).

Retournez ensuite les filets et baissez la température de la casserole. Continuez à cuire les filets à la température restante de la poêle jusqu'à ce qu'ils soient cuits et aient encore un cœur juteux. Assaisonner les filets de sel de mer et de poivre avant de servir.

Pour servir, disposez un peu de salade d'algues et d'orange au centre de l'assiette et ajoutez un morceau de filet fraîchement grillé.

STEAK EN CROÛTE DE MOUTARDE

S.

Serevings: 4

INGRÉDIENTS

- 2 cuillères à soupe   chapelure
- 1 pc   Oeuf
- 1 cuillère à soupe   Noix, moulues
- 4 pièces   Steaks de boeuf (environ 200 grammes chacun)
- 8 pièces   Poivres
- 0,5 TL sel
- 4 cuillères à soupe   moutarde
- 4 cuillères à soupe   huile

PRÉPARATION

Lavez les steaks à l'eau froide et séchez-les. Frottez avec du poivre fraîchement moulu. Préchauffez le four à 200 degrés.

Faites dorer les steaks dans le beurre clarifié. Laisser reposer 2 minutes de chaque côté (tourner une seule fois).

Battre l'œuf avec du sel et du poivre au bain-marie jusqu'à ce qu'il soit mousseux. Incorporer la chapelure, les noix et la moutarde. Placer les steaks dans un plat de cuisson graissé, étendre le mélange de moutarde sur les steaks, mettre au four et cuire 5 minutes.

POIVRONS POINTS FARCIS AU TOFU

Serevings: 4

INGRÉDIENTS

- 8 pièces   Poivrons pointus
- 200 ml Bouillon de légumes, pour la poêle
- 1 coup Arroser d'huile d'olive

pour la farce

- 4 pièces   oignons de printemps
- 2 pièces   gousse d'ail
- 10 pièces   tomates cerises
- 1 cuillère à soupe   L'huile d'olive, pour la poêle
- 160 G Tofu

- 200 G Pois chiches, en conserve
- 1 TL   poudre de curry
- 0,5 TL Poudre de cumin
- 3 cuillères à soupe   Jus de citron
- 1 cuillère à soupe   Feuilles de menthe coupées en lanières
- 1 TL   sel
- 0,5 TL poivre de Cayenne
- 120 G Yaourt nature

PRÉPARATION

Coupez un couvercle sur les poivrons et retirez les graines sans endommager la peau.

Ensuite, nettoyez et hachez finement les oignons nouveaux. Coupez les tomates cerises en très petits morceaux.

Épluchez maintenant l'ail, hachez-le finement et faites-le revenir avec les oignons nouveaux dans une casserole dans l'huile bouillante pendant 2 minutes. Ajoutez ensuite les morceaux de tomates et faites-les frire brièvement.

Coupez le tofu en petits morceaux et ajoutez-le à la poêle avec les pois chiches, portez brièvement à ébullition et assaisonnez avec le curry, les graines de cumin, le jus de citron, la menthe, le sel et le poivre de Cayenne.

Incorporez ensuite le yogourt et versez le mélange dans les poivrons (avec une buse à pipe) - remettez le couvercle du poivron.

Enfin, versez le bouillon de légumes dans un plat allant au four, mettez les poivrons farcis, un filet d'huile et faites cuire au four préchauffé à 180 degrés (feu vif-doux) pendant environ 30 minutes.

POIVRONS POINTS AVEC COUSCOUS

Serevings: 4

INGRÉDIENTS

- 3 pièces   Poireau
- 120 G couscous
- 180 ml Bouillon de légumes
- 1 pc   Citron
- 0,5 boîte   Pois chiches, environ 150 g
- 2 cuillères à soupe   huile d'olive
- 120 G tomates cerises
- 180 G Champignons, petits
- 4 pièces   Poivrons pointus
- 20 G   Parmesan fraîchement râpé

pour la sauce tomate

- 1 prix sel
- 1 prix poivre
- 2 pièces   gousse d'ail
- 1 boîte Morceaux de tomate, environ 400 g
- 2 TL   Origan séché
- 1 TL   du sucre
- 2 cuillères à soupe   L'huile d'olive, pour le pot
- 1 prix Poudre de chili

PRÉPARATION

Préchauffez d'abord le four à 200 ° C avec un ventilateur.

Ensuite, portez le bouillon de légumes à ébullition dans une casserole, retirez du feu, ajoutez le couscous et laissez-le tremper pendant environ 10 minutes - jusqu'à ce que le couscous ait absorbé le bouillon.

En attendant, nettoyez et lavez le poireau et coupez-le en rondelles. Lavez le citron à l'eau chaude, séchez-le, râpez finement la peau et pressez le jus du citron.

Égouttez les pois chiches au tamis, rincez-les à l'eau froide et égouttez-les bien.

Ajoutez maintenant la moitié des oignons nouveaux, des pois chiches, du jus de citron, du zeste de citron et de l'huile d'olive au couscous et mélangez - assaisonnez avec du sel et du poivre.

Pour la sauce tomate, épluchez l'ail, coupez-le en fines tranches, faites-le chauffer avec un filet d'huile dans une casserole et faites-le rôtir jusqu'à ce qu'il soit doré.

Ajoutez ensuite les morceaux de tomates (y compris le jus) de la boîte, portez à ébullition et assaisonnez avec de l'origan, du piment en poudre, du sucre, du sel et du poivre.

Maintenant, lavez les tomates cerises et coupez-les en deux. Épluchez et épluchez les champignons et coupez-les également en deux. Lavez les poivrons pointus, séchez-les, divisez-les en deux dans le sens de la longueur et retirez les graines.

Mettez ensuite la sauce tomate dans un plat allant au four, étalez les tomates cerises et les champignons coupés en deux.

Remplissez les moitiés de poivrons avec le mélange de couscous et disposez-les également dans la casserole - avec la garniture vers le haut.

Enfin, râpez finement le parmesan et saupoudrez-en les poivrons farcis. Mettez le plat au four et faites cuire environ 30 minutes.

CHOU POINTÉ AVEC PANSEMENT

Serevings: 4

INGRÉDIENTS

- 1 200 G   chou
- 2000 ml   Bouillon de légumes
- 2 Fédération un radis
- 2 cuillères à soupe   câpres
- 0,5 Fédération   persil
- 1 pc   Oignon moyen
- 350 G Crème entière, yogourt crémeux
- 4 cuillères à soupe   lait
- 2e prix   sel
- 2e prix   poivre

- 1 prix du sucre

PRÉPARATION

Retirez d'abord les feuilles extérieures fanées du chou pointu, puis lavez et coupez le chou en quartiers, retirez la tige et coupez-la en lanières.

Ensuite, le bouillon de légumes à bouillir dans une casserole et les morceaux de charbon de bois sont en 4 portions pendant environ 5 minutes blanchis. Retirer ensuite avec une cuillère à trous, passer au tamis, rincer à l'eau froide, laisser refroidir et égoutter.

Maintenant nettoyez, lavez et coupez les radis en cubes. Coupez les câpres en deux. Lavez le persil, secouez pour sécher, retirez les feuilles des tiges et coupez-les en lanières. Épluchez l'oignon et coupez-le en petits cubes.

Maintenant, mélangez bien le yogourt et le lait dans un bol, incorporez les radis, les câpres, le persil et les oignons et assaisonnez bien avec du sel, du poivre et du sucre.

Enfin, déposez le chou pointu sur 4 assiettes, disposez la sauce au centre et servez en saupoudrant d'un peu de poivre.

ASPERGES AU FILET DE SAUMON DE LA VAPEUR

Serevings: 4

INGRÉDIENTS

- 500 G Saumon
- 500 G Asperges blanches
- 1 prix poivre
- 1 prix sel
- 1 prix du sucre
- 1 cuillère à soupe   Jus de citron
- 1 prix Cresson, haché finement, pour la garniture
- 1 pc   Oignon de printemps

PRÉPARATION

Lavez d'abord les asperges blanches, coupez les pointes ligneuses inférieures, épluchez les asperges et mettez-les dans un cuit-vapeur perforé - saupoudrez d'un peu de sucre, de sel et de poivre. Si possible, vous devez choisir des tiges d'asperges à peu près de la même épaisseur pour qu'elles cuisent uniformément.

Ensuite, lavez le filet de saumon, séchez-le, saupoudrez d'un peu de jus de citron et saupoudrez de sel et de poivre.

Placez le saumon finement haché et les oignons de printemps dans un autre cuiseur vapeur perforé.

Placez maintenant les deux récipients pour le cuiseur vapeur dans le cuiseur vapeur et faites cuire à environ 90 degrés pendant environ 15 minutes.

Si les tiges d'asperges ne sont pas molles après la cuisson, retirez le poisson et laissez cuire les asperges encore quelques minutes.

ASPERGES DU RÉSERVOIR ROMAIN

Serevings: 2

INGRÉDIENTS

- 500 G Asperges blanches
- 1 prix sel
- 1 prix du sucre
- 3 cuillères à soupe Jus de citron
- 2 cuillères à soupe l'eau

PRÉPARATION

Au début, arrosez le Römertopf, c'est-à-dire mettez-le dans l'eau pendant au moins 10 minutes, cela remplira les pores de l'argile et de la vapeur sera produite pendant la cuisson.

Lavez les asperges, coupez les pointes dures et épluchez-les. Assaisonner avec du sel, du sucre et du jus de citron et placer dans le Römertopf.

Versez ensuite l'eau et mettez-la à couvert dans le four froid. À ce stade, chauffez l'air circulant à 190 degrés et faites cuire les asperges dans la casserole romaine pendant 60 minutes.

Conseils de recette

Si les pointes d'asperges sont très épaisses, le temps de cuisson peut être un peu plus long.

ASPERGES VAPEUR AU PESTO AIL SAUVAGE

Serevings: 4

INGRÉDIENTS

- 1 kg   Asperges blanches
- 1 TL   du sucre

pour le pesto à l'ail sauvage

- 30 G   pignons de pin
- 80 G   Feuilles d'ail sauvage
- 1 Fédération Persil haché grossièrement
- 30 G   Fromage parmesan râpé
- 100 ml Huile d'olive vierge extra

- 1 TL   Jus de citron
- 1 prix sel
- 1 prix poivre
- 1 pc   Gousse d'ail, pelée

PRÉPARATION

Épluchez les asperges avec un couteau à asperges et coupez les extrémités ligneuses (environ 2-3 cm).

Faire bouillir les pelures d'asperges et les terminer dans une casserole avec de l'eau pendant 5 minutes.

Placez ensuite les asperges dans le vapeur perforé, ajoutez un peu de sucre et faites cuire à la vapeur pendant environ 10 minutes à 100 ° C. Pour ce faire, le cuiseur vapeur est rempli avec l'eau des asperges.

Pour le pesto à l'ail sauvage, faites d'abord griller les pignons de pin dans une poêle antiadhésive (sans gras).

Mélangez ou mixez ensuite l'ail sauvage lavé et émincé, la gousse d'ail pelée et le persil avec le parmesan, les pignons et l'huile.

Ajoutez enfin un peu de jus de citron, salez et poivrez et étalez le pesto sur les asperges chaudes.

ASSAISONNEMENT SIMPLE

S.

Serevings: 1

INGRÉDIENTS

- 100 ml l'eau
- 3 cuillères à soupe   Graines de tournesol
- 0,5 pièce   Citron
- 1 pc   gousse d'ail
- 2 cuillères à soupe   6 mélanges d'herbes
- 1 prix sel et poivre

PRÉPARATION

Tout d'abord, pressez un demi-citron, épluchez l'ail et hachez-le grossièrement.

Ensuite, mettez le jus de citron, l'ail, l'eau, les graines de tournesol, les herbes, le sel et le poivre dans un petit mélangeur et mélangez pendant 30 secondes.

VENTE SOUPE

S.

Portions: 4

INGRÉDIENTS

- Oignon PC
- 500 G céleri-rave
- 25 G   beurre
- 700 ml Bouillon de légumes
- 200 ml Lait faible en gras
- 1 prix sel
- 1 prix poivre
- 1 cuillère à café   Noix de muscade

PRÉPARATION

Lavez, épluchez et hachez le céleri. Épluchez les oignons, hachez-les finement et mélangez-les dans une casserole avec le beurre.

Ajouter ensuite le bouillon, le céleri, le sel, le poivre et la muscade et cuire à couvert pendant environ 20 minutes à une température plus basse.

Ajoutez ensuite le lait et mixez la soupe avec le mixeur plongeant. Assaisonner à nouveau au goût et chauffer davantage.

CONCLUSION

Si vous voulez perdre quelques kilos, le régime pauvre en glucides et en gras atteindra éventuellement vos limites. Bien que le poids puisse être réduit avec des régimes, le succès n'est généralement que de courte durée car les régimes sont trop unilatéraux. Donc, si vous voulez perdre du poids et éviter l'effet yo-yo classique, vous devriez plutôt vérifier votre bilan énergétique et recalculer vos besoins caloriques quotidiens.

L'idéal est d'adhérer à une variante douce du régime faible en gras avec 60 à 80 grammes de graisse par jour à vie. Il aide à maintenir le poids et protège contre le diabète et les lipides sanguins élevés avec tous leurs risques pour la santé.

Le régime pauvre en graisses est relativement facile à mettre en œuvre car il suffit de renoncer aux aliments gras ou de limiter sévèrement leur proportion dans la quantité quotidienne de nourriture. Avec le régime pauvre en glucides, cependant, une planification beaucoup plus précise et une plus grande endurance sont nécessaires. Tout ce qui vous remplit vraiment est généralement riche en glucides et doit être évité. Dans certaines circonstances, cela peut entraîner des fringales et donc un échec de l'alimentation. Il est essentiel que vous mangiez correctement. De nombreuses compagnies d'assurance maladie publiques proposent donc des cours de prévention ou paient des conseils nutritionnels individuels. Ce conseil est extrêmement important, surtout si vous décidez de suivre un régime amaigrissant où vous souhaitez changer définitivement le régime entier. La prise en charge de ces mesures par votre assurance maladie privée dépend du taux que vous avez souscrit.

Lightning Source UK Ltd.
Milton Keynes UK
UKHW020700200521
384048UK00001B/81